L'ÉCUREUIL
ensorcelé

Texte de Laurence Yep
Illustrations de Dirk Zimmer

Traduit de l'anglais par
Marie-Claude Favreau

EH *Héritage jeunesse*

La Didacthèque
Université du Québec à Rimouski
300, allée des Ursulines
Rimouski (Québec) G5L 3A1

Données de catalogage avant publication (Canada)

Yep, Laurence

L'écureuil ensorcelé

(Petite étoile).
Traduction de: The curse of the squirrel.
Pour enfants.

ISBN 2-7625-5190-0

I. Zimmer, Dirk. II. Titre. III. Collection.

PZ23.Y36Ec 1989   j813'.54   C89-096072-0

The Curse of the Squirrel
Texte copyright © 1987 by Laurence Yep
Illustrations intérieures copyright © 1987 by Random House
Publié par Random House, Inc., New York

Illustration de la couverture : G. & P. Pusztaï inc.

Version française
© Les Éditions Héritage Inc. 1989
Tous droits réservés

Dépôts légaux : 1ᵉʳ trimestre 1989
Bibliothèque nationale du Québec
Bibliothèque nationale du Canada

ISBN : 2-7625-5190-0   Imprimé au Canada

Photocomposition : Deval-Studiolitho Inc.

LES ÉDITIONS HÉRITAGE INC.
300, Arran Saint-Lambert, Québec J4R 1K5
(514) 875-0327

Table des matières

ferme. Mais les autres chiens ne répondent pas.
« C'est bizarre, se dit Pollux. Pourquoi sont-ils silencieux ? »

Jean-Baptiste fait claquer ses doigts.

— Trouve-les, Pollux !

Pollux hume l'air. Il reconnaît l'odeur des autres chiens.

— De ce côté ! aboie-t-il à son maître.

Il le mène au poulailler. Les autres chiens sont là, tout autour du poulailler, et ils rient.

— Pourquoi vous faites-vous attendre ? leur demande Pollux. Notre maître veut aller chasser.

Gaspard, un des chiens, se retourne et dit :

— Ton frère est dans le poulailler et il ne veut pas sortir.

Pollux court au poulailler et regarde par la petite porte.

— Félix, dit-il, tu n'es pas une poule, tu es un chien. Sors de là !

Félix s'enfonce davantage dans le nid de paille. Seuls ses yeux et son museau noir paraissent.

— C'est trop dangereux dehors, fait-il.

Les autres chiens se moquent de lui.

— Félix est une poule mouillée ! glapit Zoé. Viens caqueter pour nous, Félix !

— Ponds-nous un oeuf, Félix, ricane Gaspard.

Pollux est très courageux. Félix est très timide. Pollux doit sans cesse le protéger.

— Que personne ne se moque de mon frère, dit Pollux en donnant des petits coups de dents aux autres chiens.

— Ouille! Ouille! Ouille! se lamentent-ils en reculant de quelques pas.

Pendant ce temps, Jean-Baptiste s'est accroupi et regarde par la porte. Il voit Félix dans le nid.

— Félix, tu n'as pas de plumes et tu ne ponds pas d'oeufs! Sors tout de suite de ce poulailler!

Félix ne bouge pas.

— Non, non. J'ai peur de Crac!

Pollux rampe sous son maître pour regarder par la porte à son tour.

— Je chasse dans la forêt depuis des années, dit-il, et je n'ai jamais entendu parler de ce Crac.

Félix redresse la tête.

— C'est un écureuil géant. Il est arrivé dans la forêt la nuit dernière. Je ne veux pas sortir d'ici. C'est trop dangereux. Crac est dehors, quelque part.

— Arrête tes folies! dit Jean-Baptiste en entrant dans le poulailler.

Pollux gronde son frère.

— Combien de fois devrai-je te le répéter? Il ne faut pas parler aux écureuils. Ce sont nos ennemis. On ne peut pas leur faire confiance.

— Les écureuils sont mes amis, dit Félix en se cachant de nouveau dans la paille. Eux aussi ont très peur. Quand Crac entre dans une forêt, il mange toutes les noix et disparaît.

Jean-Baptiste s'avance dans la paille et saisit Félix par la peau du cou.

— Félix, tu me donnes beaucoup plus de soucis que de satisfactions, dit-il en essayant de le tirer hors du nid.

Mais le nid est dans une caisse de bois et Félix s'agrippe aux côtés de la caisse.

— Non, non, non! aboie-t-il. C'est trop dangereux. Allez-vous-en!

— Je te protégerai, Félix, le rassure Pollux. Comme je le fais toujours.

Jean-Baptiste tire Félix, mais Félix mord la caisse. Le fermier soulève Félix. Félix soulève la caisse. Le fermier secoue Félix.

— Lâche cette caisse, Félix!

Mais Félix mord la caisse de plus belle.

— Lâche-la! crie le fermier, la figure rouge

comme une tomate. Il secoue Félix encore plus
fort. Les dents de Félix s'enfoncent encore plus
dans le bois.

— Je vais te faire lâcher, espèce de chien stupide. Jean-Baptiste secoue rudement Félix. La
paille vole partout dans le poulailler. Un fétu de
paille vient chatouiller le nez du fermier et le fait
éternuer. Comme il a un très gros nez, il éternue
très fort. Tellement fort que ça le fait reculer d'un
pas et il trébuche sur Pollux.

— Ouille! glapit Pollux.

Jean-Baptiste tombe sur le derrière. Félix vole
en l'air. Jean-Baptiste est tombé dans un autre nid.
Les poules se sont envolées juste à temps. «Ouf!»
fait Jean-Baptiste quand Félix retombe sur ses
genoux. La caisse de bois atterrit sur la tête du fermier. Les poules effrayées volettent partout dans
le poulailler. L'air est rempli de plumes et de
paille.

Jean-Baptiste se tortille. La caisse qu'il a sur la
tête étouffe sa voix.

— Je sens quelque chose de mouillé, dit-il. Je
crois que je suis assis sur un oeuf.

Il retire la caisse de sa tête et voit toutes les poules qui volent çà et là.

— À présent, mes poules sont énervées! Elles ne pondront plus pendant plusieurs jours.

Pollux passe la tête par la porte.

— Il est encore temps, Félix. Viens avec nous.

Félix secoue la tête.

— J'ai vu une trace de patte toute fraîche, la nuit dernière. Une trace d'écureuil aussi grosse que moi!

Pollux colle son museau sur le museau de son frère.

— C'est sûrement un écureuil qui a voulu te jouer un tour! Tous les animaux de la forêt doivent bien rire de toi en ce moment.

— J'ai entendu des bruits aussi, ajoute Félix. Des bruits de pas très lourds. C'était un écureuil géant qui marchait.

Pollux entre dans le poulailler.

— C'était les écureuils, dit-il. Ils tapaient sur un tronc d'arbre creux. Nous allons leur donner une bonne leçon!

— Non, Crac est là, insiste Félix. Je le sens.

Une poule vient s'installer sur la tête de Jean-Baptiste. Il regarde la poule. La poule le regarde. Il en a assez.

— Mon pantalon est taché d'oeuf, dit-il, et maintenant une poule fait son nid sur ma tête. Et tout ça c'est de ta faute, ajoute-t-il en jetant un oeil de travers à Félix.

— Je suis désolé, gémit Félix.

Jean-Baptiste dépose Félix par terre et se lève.

— Félix, tu es un chien stupide et inutile. Je m'en vais à la chasse et, à mon retour, je ne veux plus te voir.

— Je dois accompagner notre maître, dit tristement Pollux à Félix.

Félix rampe jusqu'à la caisse.

— Sois prudent, répond-il.

2
Crac mord
à belles dents

Pollux conduit les autres chiens dans la forêt. L'air frais de la nuit est plein d'odeurs enivrantes.

Les chiens reniflent les alentours.

— Voilà la piste ! dit Gaspard avec excitation.

— Non, c'est par ici, dit Zoé.

Les chiens courent dans tous les sens en se chamaillant.

Pollux est le meilleur chien de chasse. Il ne perd pas son temps en discussions inutiles. Il cherche en silence. Enfin, il sent l'odeur forte de l'opossum. Pollux va courir plus vite que le vent, il va sauter plus haut que les étoiles et l'opossum ne pourra pas lui échapper.

— J'ai trouvé la piste ! aboie-t-il de sa voix profonde aux autres chiens. Suivez-moi !

Pollux est le chien le plus léger et le plus rapide.

Très vite, il laisse les autres loin derrière lui. Seule la lune peut le suivre dans sa course. Elle est presque pleine et elle luit au-dessus des arbres comme un gros ballon.

Pollux court jusqu'au coeur de la forêt, là où les arbres poussent serrés les uns contre les autres. Leur cime cache la lune maintenant.

— Oh! j'ai dépassé la lu-u-u-u-ne! se met à hurler Pollux.

Autour de lui, la forêt est étrangement silencieuse. Aucun hibou ne hulule, aucune bête ne bouge. Mais Pollux continue à courir dans la nuit.

Soudain, ses oreilles exercées entendent un bruit sourd. On dirait un animal géant tapant du pied sur le sol.

— Les écureuils ont peut-être réussi à tromper Félix, marmonne Pollux, mais moi, ils ne me tromperont pas. Ils ne font que frapper un tronc d'arbre creux.

Pollux est fâché. Si fâché qu'il en oublie l'opossum.

— Je vais vous apprendre à jouer des tours à mon frère!

Croyant pouvoir attraper facilement les écureuils, il court en direction du bruit. Mais le bruit devient de plus en plus fort.

Toum! Toum! Toum!

« Ils doivent être nombreux à taper », se dit Pollux en courant de plus en plus vite. Les broussailles l'égratignent au passage et les fougères lui chatouillent le ventre et les pattes.

Toum! Toum! Toum!

Il bondit dans une petite clairière et relève la tête avec colère pour hurler.

— Vous ne pou-ou-ou-ou-vez pas me tromper!

Au loin, les autres chiens lui répondent.

— Vous ne pou-ou-ou-vez pas...

Soudain, devant lui les buissons se mettent à remuer. Un petit arbre s'abat sur le sol.

Ka-toum! Ka-toum! Ka-toum!

Un écureuil s'avance dans la clairière. Jamais Pollux n'a vu d'écureuil aussi gros. Il doit pencher la tête en arrière pour voir son visage. L'écureuil le regarde de ses yeux rouges et brillants.

Pollux recule.

— Per... per... mettez que je me présente, bégaye-t-il. Je m'appelle Pol... Pollux.

— Et moi, dit l'écureuil, je suis Crac.

— C'est un beau nom! fait Pollux en reculant encore. Bienvenue dans la forêt.

— Tu parles ainsi parce que tu voudrais bien m'attraper pour garnir le ragoût de ton maître, dit l'écureuil en plissant les yeux de colère.

— Non, non. Moi aussi, je préfère la salade! Pollux est tout près des buissons maintenant.

— Pour moi, tu ressembles à une grosse noix velue, dit l'écureuil. D'un bond gigantesque, il saute à côté de Pollux. De ses pattes, il écrase le chien au sol. Pollux aperçoit alors deux énormes dents blanches qui luisent au clair de lune. Quand il les sent pénétrer dans son épaule, il pousse un glapissement de frayeur.

— Tiens bon! Tiens bon! Nous arrivons! hurlent les autres chiens dans le lointain.

— Patience, Pollux, j'arrive! crie à son tour Jean-Baptiste.

Crac fait la grimace.

— Il y a trop de monde dans ces bois, dit-il en lâchant sa proie. À présent, Pollux, tu es ensorcelé. Le jour, tu seras un chien. Mais les nuits de pleine lune, tu te changeras en écureuil — en gros écureuil, comme moi.

Crac disparaît dans les buissons.

Pollux se relève.

Les autres chiens sont arrivés sur les lieux et

entourent Pollux.

— Que s'est-il passé? lui demandent-ils.

— J'ai vu l'écureuil géant, dit Pollux. Il m'a mordu.

Les autres chiens restent silencieux un long moment. Ils ne le croient pas. Zoé pousse un petit grognement.

— On dirait plutôt qu'un raton laveur t'a sauté dessus.

— C'était un écureuil géant! dit Pollux. Regardez la grosseur de ses empreintes.

Zoé secoue la tête.

— Tu as dit à Félix que c'était un tour. Ne nous raconte pas d'histoires. Avoue donc que tu as peur des ratons laveurs.

— Il faut partir d'ici tout de suite, les prévient Pollux.

Les autres se regardent. Zoé chuchote tout bas :

— Pollux est à bout de nerfs!

— Vous n'êtes qu'une bande d'idiots, lance Pollux.

Jean-Baptiste pénètre enfin dans la clairière, soufflant et grognant. Il est très gros et n'aime pas courir. Pollux s'avance en boitant vers son maître.

— Que s'est-il passé? lui demande le fermier.

— C'est dangereux, aboie Pollux.

Jean-Baptiste ne comprend pas Pollux. Mais il voit sa blessure.

— Mon pauvre chien! dit-il. Rentrons vite à la maison. Il prend Pollux dans ses bras et s'en va, suivi des autres chiens.

3

On a volé les choux

Quand ils rentrent à la ferme, Félix a disparu.

Jean-Baptiste emmène Pollux à la cuisine pour laver sa blessure. Il lui fait un pansement. Il étend ensuite sur le plancher une vieille couverture et couche Pollux dessus. Puis, il lui donne un bol d'eau.

— Repose-toi, Pollux. C'est toi mon meilleur chien. Il tapote Pollux sur la tête et monte se coucher.

Le lendemain, au lever du soleil, Pollux part à la recherche de Félix. Il demande à tous, aux poules comme aux vaches, s'ils ont vu son frère. Mais personne ne sait où est passé Félix. Pollux voudrait bien le retrouver, mais son épaule lui fait trop mal.

— Demain, tout ira mieux, décide-t-il. Alors, j'irai le chercher.

En revenant à la maison, il passe devant un potager plein de choux. Son museau se met à remuer.

Jamais il n'a fait ça avant! Pollux n'arrive pas à l'immobiliser. Son museau continue de remuer comme celui d'un écureuil.

— Non, dit-il. Je suis un chien. Mon museau me démange juste un peu. Je ne suis pas un écureuil. Crac est un menteur.

Les choux sont ronds. Les noix aussi sont rondes. Les choux lui font alors penser à de grosses noix vertes. Avant, Pollux n'avait jamais prêté attention aux choux et aux noix. Il entre dans le potager et palpe un des choux.

— Pourquoi n'ai-je donc jamais remarqué que les choux et les noix ont la même forme?

Au moment de repartir, Pollux entend le chou murmurer : «Ne m'abandonne pas, Pollux. Les insectes et les oiseaux vont me manger. Je vais me flétrir sous le soleil. Je vais perdre ma belle forme et je ne ressemblerai plus à une noix.»

Pollux se retourne.

— Je vais te sauver, mon chou. Je vais te cacher. Personne ne te fera de mal. Tu resteras aussi parfait qu'une noix.

Avec son museau et ses pattes, il pousse le chou hors du potager. Puis, il le roule jusqu'au chêne qui pousse près de la grange. L'arbre est si gros et si vieux qu'il y a de la place sous ses longues racines. Pollux cache le chou dessous.

— Voilà! fait Pollux. Tu es en sécurité, à présent!

Le chou a l'air d'une noix abandonnée au pied de l'arbre.

— Pollux, supplie-t-il, sauve aussi mes frères et mes soeurs!

Le chou a raison. Il ne veut pas rester seul et il y a tellement d'espace parmi les racines du gros chêne.

— Je vais les sauver, dit Pollux.

Un peu plus tard, quand Jean-Baptiste va voir son potager, presque tous les choux ont disparu.

— Au secours! Au voleur! s'écrie-t-il.

Les chiens accourent.

— Ce sont sûrement les cochons! crie Gaspard. Ils sont tellement gloutons!

— Non, ce sont les vaches! glapit Zoé. On ne peut pas faire confiance à ces bêtes à cornes.

Tous les chiens accusent un animal différent.

Leur maître pointe du doigt les traces de pas.

— Voilà les traces du voleur. On dirait celles d'un chien, mais c'est impossible. Les chiens ne volent pas les choux !

Les chiens suivent la piste. Jean-Baptiste suit ses chiens. Ils trouvent Pollux, assis sous le vieux chêne. Pollux sent dans son dos tous les choux qu'il a réussi à entasser.

— Pollux, il y a un voleur de choux ! s'écrient les chiens.

— Oh, c'est terrible ! dit Pollux.

— Aide-nous à le trouver, lui demandent les autres.

Pollux n'a jamais menti. Mais il pense à tous les choux derrière lui. Il leur a promis de les sauver.

— Je pense avoir vu un lapin entrer dans les bois, ment-il.

— Tu ne l'as pas pourchassé ? font les autres.

— J'ai trop mal à l'épaule, leur explique Pollux.

Gaspard fait le tour du chêne et revient vers Pollux.

— La piste finit ici, dit-il.

— Le lapin a sauté d'un bond dans la forêt, dit Pollux.

Tous les chiens le regardent sans le croire.

— C'était un très grand bond, ajoute Pollux.

— Et toi, Pollux, que fais-tu ici ? demande Zoé.

— Je me repose. Pollux fait semblant d'examiner les nuages dans le ciel.

— Qu'y a-t-il dans cet arbre, Pollux? lui demande Gaspard en essayant de voir derrière Pollux.

Pollux grogne et montre les dents.

— Rien, dit-il.

— Tu es encore plus bizarre que ton frère, dit Jean-Baptiste. Éloigne-toi de cet arbre, Pollux.

Pollux se pousse d'un centimètre.

— Tasse-toi un peu plus, lui ordonne le fermier.

Pollux se pousse encore d'un centimètre.

Son maître lui tapote la patte et dit :

— Viens ici, Pollux.

Jamais Pollux n'a désobéi à son maître. Il se lève.

Tous les autres entendent un bruit étrange.

Soudain, cent choux ronds et verts se mettent à rouler. Ils font trébucher Pollux et l'entraînent avec eux.

Les choux et Pollux heurtent en même temps les jambes de Jean-Baptiste, qui tombe à la renverse.

Les choux continuent à rouler avec Pollux et passent par-dessus le corps du pauvre fermier. Ils

s'arrêtent huit mètres plus loin. Pollux se fraie un chemin parmi les choux pour rejoindre son maître.

Le fermier est toujours étendu par terre. Il a un air bizarre. Pollux, honteux, balance la tête.

— Peut-être que je suis ensorcelé pour vrai, dit-il. Je n'avais encore jamais parlé à un chou et jamais je n'en avais volé ni caché.

Pollux lèche le front de son maître. Il s'attend à être grondé, mais le fermier reste couché sur le dos.

— J'ai vu bien des choses étranges, dit enfin Jean-Baptiste. J'ai capturé un serpent à deux têtes. J'ai fait pousser une citrouille de la taille d'une vache. Mais jamais, jamais je n'ai eu de chien qui faisait des provisions comme un écureuil.

Lentement, il se lève.

— Je vais me coucher, dit-il. Quand je me réveillerai, le monde sera sans doute redevenu normal.

Il fait un pas. Mais son pied bute contre un chou et il tombe face contre terre.

— Je vais aller plus lentement, dit-il, la figure collée au sol. Je suis même prêt à ramper jusqu'à mon lit, s'il le faut.

Il se relève et essuie la poussière sur son visage.

— Bon après-midi, dit-il aux chiens.
Et d'un pas hésitant, il rentre à la maison.

4
Le proscrit

— Tu nous as fait honte, disent les autres chiens à Pollux, mais nous te pardonnons. C'est sans doute ta blessure qui te fait très mal.

Pollux se glisse sous le balcon. Il veut se cacher de tous. Les paroles de son maître l'inquiètent. Il agit comme un écureuil. Crac lui a-t-il vraiment jeté un sort? Il sera chien le jour et écureuil les nuits de pleine lune! Peut-être que plus le crépuscule approchera, plus il agira comme un écureuil?

Voilà que son museau recommence à remuer. «Arrête!» dit Pollux à son museau en posant ses deux pattes dessus.

Soudain, Pollux renifle une odeur délicieuse qui semble venir de la cuisine.

Pollux s'approche avec prudence des marches qui mènent à la cuisine. Celle-ci est vide et la porte est ouverte. Il entre. Sur la table, il voit le goûter de son maître.

Pollux a encore mal à l'épaule mais il saute tout de même sur une chaise. Le fermier a préparé des sandwiches au beurre d'arachide. Elles sont dans une assiette. Le pot de beurre d'arachide est posé près de l'assiette.

C'est étrange. Pollux n'a jamais aimé le beurre d'arachide. Et voilà qu'il en a l'eau à la bouche. Il lèche un peu de beurre d'arachide laissé sur le couteau. C'est délicieux !

« Mon maître ne pleurera pas pour un seul sandwich », se dit-il et il engloutit un des sandwiches.

Le beurre d'arachide est doux et se mastique bien. Il a le goût des prés chauds et ensoleillés, le goût d'un après-midi de paresse.

Pollux regarde le deuxième sandwich. Sur celui-là, le beurre d'arachide semble encore plus épais. « Mon maître a besoin de suivre un régime », décide Pollux, et il fait deux bouchées du sandwich. Le troisième sandwich est le plus gros de tous.

— Il semble si seul, soupire Pollux.

Il le mange aussi. Ensuite, il lèche le beurre d'arachide tombé dans l'assiette. L'odeur des arachides remplit la cuisine. Le couvercle du pot est mal vissé et Pollux peut voir tout le beurre d'arachide qu'il contient.

— Je vais juste vérifier s'il est frais, dit Pollux. Il lèche l'extérieur du pot. Celui-ci glisse un peu vers le bord de la table.

— Je crois que j'en ai laissé un peu, dit-il, en pourléchant de nouveau le pot qui approche peu à peu du bord de la table.

— Ce pot a vraiment une forme appétissante, constate-t-il.

Il donne un grand coup de langue sur le pot, qui glisse cette fois jusqu'au bord de la table, puis bascule et va se fracasser sur le plancher.

— Autrefois, les pots étaient plus solides, dit Pollux. Bon... maintenant mon maître ne voudra sûrement plus de ce beurre d'arachide.

Il saute à bas de la chaise et se met à lécher le beurre d'arachide répandu sur le sol.

Le bruit a réveillé Jean-Baptiste. Il entre dans la cuisine, voit l'assiette vide et le pot cassé.

Le museau tout barbouillé, Pollux fait un petit sourire gêné, comme pour se faire pardonner.

— Pollux, tu es le chien le plus bizarre que je connaisse, dit le fermier. Il ouvre la porte de la cuisine et pointe du doigt l'extérieur.

— Sors d'ici tout de suite! Je vais nettoyer ce

dégât, mais tu n'es plus le bienvenu dans cette maison.

Pollux sort de la cuisine la tête basse. Crac a dit vrai. Pollux est vraiment ensorcelé. Il aime le beurre d'arachide, à présent! Et le pire, il se prend pour un écureuil et ne peut plus se contrôler.

Les autres chiens attendent au pied de l'escalier. Pollux secoue la tête.

— J'ai fait honte à tous les chiens aujourd'hui, dit-il.

— Tu n'es plus notre chef, dit l'un des chiens.

— Je comprends, murmure Pollux. Dès que ma blessure sera guérie, je m'en irai et vous ne me reverrez plus jamais.

Puis il disparaît sous le balcon.

5

La nuit de
la pleine lune

Toute la journée, Pollux reste sous le balcon. Les autres chiens l'évitent. Au coucher du soleil, Jean-Baptiste se lève. Ses grosses bottes résonnent sur le plancher au-dessus de Pollux.

— À la chasse! À la chasse! siffle-t-il à ses chiens.

Pollux ne bouge pas et le fermier ne le cherche pas. Ni les autres chiens. Ils s'en vont tous sans lui.

Pollux les entend se disputer au loin.

— C'est par ici! aboie Gaspard.

— Non, c'est par là! proteste Zoé.

Sans Pollux pour les guider, les chiens ne s'accordent pas entre eux. Ils se chamaillent sans cesse. Quand leurs voix s'éteignent tout à fait, très loin dans le bois, ils se disputent toujours.

— Félix, gémit Pollux, où es-tu? Tu me

manques.

Puis il tombe endormi.

La lune se lève. Elle éclaire la ferme. Les raies de lumières se glissent dans la cour et sous le balcon. La lumière enveloppe Pollux, pénètre dans son pelage. Il a des démangeaisons partout.

— Atchoum! éternue Pollux.

Sa gueule et ses oreilles rapetissent. Sa queue et ses pattes arrière allongent. Ses deux dents de

devant poussent vers l'extérieur.

— Je ne me sens pas très bien, dit Pollux. Il regarde ses pattes de devant. On dirait des pattes d'écureuil.

Que se passe-t-il? Il se met à grandir. Sa tête

heurte le balcon. Crrrrac! Les planches cassent.

— Ouille!

Pollux se met à quatre pattes et sort de sa cachette. Une fois dans la cour, il s'assoit sur ses pattes de derrière. Il essaie de remuer la queue, mais elle se prend dans un gros rosier.

Il se retourne. Sa queue est énorme et ressemble à une fourrure. C'est… une queue d'écureuil!

Pollux la dégage du rosier. Il tâte sa gueule et ses oreilles. Ce ne sont pas celles d'un chien! Ce sont celles d'un écureuil!

— Oh non! Je suis vraiment un écureuil!

Pollux renverse la tête en arrière. Il veut que le monde entier sache combien il est triste. Il essaie de pousser un profond hurlement. Mais seul un petit *tchî-î-î-î-k* se fait entendre. Pollux a même perdu sa belle voix grave.

— Il ne pouvait rien m'arriver de pire, dit-il.

Une grosse larme coule sur sa joue. Machinalement, il se sert de sa queue touffue pour s'essuyer les yeux.

À ce moment-là, Pollux entend son maître qui revient.

— Où sont donc passés tous les animaux de la forêt? crie le fermier. Où se cachent-ils?

Il a l'air fatigué et dégoûté.

Pollux s'accroupit. Et puis, il entend Zoé.

— Arrêtez! Ça sent l'écureuil. L'odeur est très forte. Il y en a peut-être plusieurs.

— Nous allons leur donner une bonne leçon!

hurlent les autres chiens. Ils ne peuvent pas nous échapper! Zoé dirige ses compagnons derrière la grange. Elle s'arrête net en voyant Pollux. Les autres chiens qui arrivent à la course se heurtent contre elle et culbutent les uns sur les autres dans un concert de jappements.

Jean-Baptiste les rejoint.

— Mon Dieu! Un écureuil géant!

Pollux comprend que le fermier parle de lui.

— Non, non! fait Pollux en levant ses pattes de devant. C'est moi, Pollux! Vous voyez mon pansement? Il est toujours sur mon épaule.

— Tu ne nous tromperas pas, dit Gaspard. Tu dois être Crac. Félix nous a parlé de toi. Tu as mangé Félix. Tu as mangé Pollux.

Le fermier se frotte les yeux.

— C'est sans doute un cauchemar. Je ne suis pas ici. Je suis dans mon lit. Il se pince. «Ouille! Zut, je suis bien éveillé. »

Il regarde ses chiens. Ils sont tous couchés à plat ventre sur le sol et gémissent de peur.

— Ma foi, oui, c'est réellement un écureuil géant! murmure-t-il.

Pollux s'avance sur ses pattes de derrière. Il veut avoir l'air digne. Il veut paraître calme. Il veut être comme un chien, mais sa voix d'écureuil est aiguë et insolite pour un corps aussi gros.

— Aidez-moi, supplie-t-il. Quelque chose ne va pas.

Jean-Baptiste est si effrayé qu'il tremble de tous ses membres. Il n'arrive pas à pointer son fusil comme il faut.

— Ne t'approche pas, monstre, menace-t-il.

— Je ne suis pas un monstre, dit Pollux. Je suis le meilleur chien de chasse. Regardez-moi!

Le fermier recule de terreur. Il lève sont fusil et tire. Il rate Pollux mais il ne rate pas le rosier. Des fleurs et des feuilles volent sur le sol.

Pollux essaie de dire quelque chose, mais il n'y parvient pas. Il se retourne. Sa grosse queue fouette le visage de son maître qui laisse échapper un formidable éternuement.

— Je suis vraiment ensorcelé, dit Pollux misérablement. Il s'enfuit dans la forêt. Il lui faut un endroit tranquille où il pourra réfléchir.

Jean-Baptiste le regarde s'en aller, puis il entre chez lui, prend le téléphone et appelle le capitaine de police.

— Venez vite! dit-il. Le plus gros écureuil de l'univers vient d'essayer de me mordre. Il était

aussi gros qu'une vache!

Le capitaine de police part à rire.

— Je chasse l'écureuil depuis trente ans, et jamais on en a vu de cette grosseur-là.

— Il était juste à côté de ma maison, proteste Jean-Baptiste.

— Vous avez dû prendre un verre de trop, lui dit le capitaine.

— Je vais vous le prouver. Je n'ai pas bu. Il y a vraiment un écureuil géant, lance-t-il en raccrochant.

Il sort et siffle ses chiens.

— Allez, mes petits! Nous partons à la chasse à l'écureuil!

Les chiens ne bougent pas. Ils ont peur. Ils ne veulent pas y aller.

Jean-Baptiste pousse un grognement.

— J'irai tout seul, s'il le faut, mais je vais le trouver, cet écureuil.

Les chiens se regardent. Ils ne peuvent tout de même pas abandonner leur maître ainsi. Malgré leur crainte, un à un, ils le rejoignent dans la vallée.

On pourchasse Pollux

Les chardons et les épines des mûriers blessent les pattes de Pollux. Sa grosse queue touffue s'accroche aux branches des arbres.

— Comment fait donc Crac pour courir à travers les bois ? se demande-t-il.

Il s'arrête au bord d'un étang pour se reposer.

Au-dessus de lui, la lune est haute et pleine. Elle se reflète dans l'eau. L'étang est aussi étincelant qu'un miroir et Pollux y aperçoit son image.

Il regarde ses oreilles et son museau d'écureuil.

— Personne ne me reconnaît, à présent. Mon maître et mes amis me détestent.

Les larmes de Pollux tombent dans l'étang. De petites vagues rident l'eau et pendant un instant, son image disparaît.

— Rien de plus terrible ne pouvait m'arriver, soupire Pollux.

Soudain, il entend les chiens aboyer au loin.

— Que peuvent-ils bien chasser? se demande-t-il.

— Je sens l'écureuil, un gros gros écureuil! hurle Zoé.

Pollux se redresse sur ses pattes de derrière.

— C'est moi qu'ils cherchent!

Il se met à courir. Il n'a pas encore l'habitude avec son nouveau corps. Il bute contre les racines. Sa queue se prend dans les buissons. Il n'avance pas vite.

En plus, il laisse une piste facile à suivre. Les autres chiens le rattrapent rapidement. Leurs dents mordillent ses talons et sa queue.

— Regardez! Il a peur! crie Gaspard. Il n'est pas si terrible!

— Arrêtez! Je suis Pollux! Je ne vous veux aucun mal.

— Menteur! dit Zoé. Tu seras puni comme un vrai écureuil.

«Je pense que je fais mieux de me sauver», se dit Pollux.

Il court plus vite, piétine les buissons, saute par-dessus les troncs d'arbres. Les autres chiens le talonnent.

Il traverse les ruisseaux. Il escalade les collines.

Mais les autres chiens sont toujours à ses trousses.

Enfin, il monte à un arbre. Ses griffes s'enfoncent dans l'écorce tandis qu'il grimpe et grimpe encore.

Il est maintenant hors de portée des chiens.

— Nous l'avons! Nous l'avons! aboie la meute tout excitée.

Pollux essaie de ramper sur une branche mais elle est trop petite et elle casse brusquement. Alors,

il essaie de grimper plus haut le long du tronc. Le tronc devient de plus en plus mince et se met à ployer sous le poids de Pollux.

« Je dois atteindre l'arbre voisin, se dit-il. Et je grimperai ensuite jusqu'en haut. » Il essaie d'attraper une des branches de l'arbre voisin, mais il n'est pas capable.

Une lumière vive éblouit soudain Pollux. C'est le fanal de Jean-Baptiste.

— Tu es pris comme un opossum, dit-il à Pollux. Je te tiens maintenant.

— Non, c'est moi, Pollux! crie-t-il.

Mais Jean-Baptiste ne le comprend pas. Il arme son fusil. Pollux entend le déclic. Il a entendu ce bruit bien des fois, mais jamais ce n'était lui la cible!

Il ferme les yeux.

— Oh! Félix, Félix, où es-tu? Tu avais tellement raison et j'avais tellement tort!

Soudain, les buissons s'agitent et on entend un hurlement. On dirait Félix. Mais... *c'est* Félix!

— Une autre écureuil géant arrive! aboie Félix.

Pollux entend les autres chiens reprendre son cri de terreur.

Félix déguise sa voix. Il la rend très aiguë,

comme celle d'un jeune chien effrayé.

— Oh non, il y a des douzaines et des douzaines d'écureuils géants, dit-il. Courez! Courez! Courez!

Sous lui, il voit Zoé qui court çà et là, apeurée. Elle a toujours eu beaucoup d'imagination.

— Non! Ils sont des centaines, fait-elle.

Gaspard est tellement effrayé qu'il essaie même de grimper à l'arbre où est perché Pollux.

— Tous les écureuils géants sont là! dit-il.

Pollux décide de leur faire encore plus peur.

— Vous allez le regretter, dit-il aux chiens. Mes frères vont vous pendre par les oreilles à l'arbre le plus proche!

— Courez! Courez! Courez! disent les chiens en fuyant à toutes jambes.

Puis Pollux entend la voix de son maître.

— Attendez-moi! crie Jean-Baptiste en courant derrière ses chiens.

— Félix, es-tu là? appelle Pollux.

Les buissons cessent de remuer et Félix sort au clair de lune.

— Pollux? C'est vraiment toi? dit Félix en regardant Pollux. Tu ressembles à Crac.

— Je sais, dit tristement Pollux. Il m'a

ensorcelé.

Pollux redescend de l'arbre.

— Où étais-tu passé, Félix?

— Je voulais trouver un moyen de nous débarrasser de Crac, dit-il.

— Et tu as trouvé?

— Oui. Mais toi, que t'est-il arrivé? demande Félix.

— Crac m'a mordu. À présent, chaque fois que la lune est pleine, je deviens un écureuil.

— Tante Djin-Djin pourra peut-être t'aider, dit Félix. Elle habite dans le marais.

Pollux brosse sa queue nerveusement.

— Le marais! Personne n'y va jamais.

— Moi, j'y suis allé, dit Félix. Il faudra que tu y ailles aussi.

Pollux le regarde avec étonnement.

— Mais tu es si peureux, d'habitude.

Félix hausse les épaules.

— J'avais encore plus peur pour toi, dit-il.

Pollux se racle la gorge.

— Félix, j'avais tort. Tu n'es pas poltron. Je te remercie beaucoup.

— De rien, dit Félix en se frottant contre son frère. Allons faire un tour dans le marais.

7

Tante Djin-Djin

Pollux et Félix avancent lentement dans le marais. Les mousses vertes pendent aux branches des vieux arbres rabougris. Des branches tordues descendent vers eux comme de gigantesques griffes. L'odeur de l'eau bourbeuse leur emplit les narines. Pour ne pas se mouiller, ils doivent sauter d'un carré de terre sec à l'autre.

Pollux hésite.

— Cet endroit est terrifiant. Et tu es déjà venu ?

— Je suis venu le jour. C'est moins sinistre, explique Félix.

Quand Pollux regarde derrière lui, il aperçoit sur l'eau des petites vagues qui les suivent. Une créature étrange est à leurs trousses.

— Quelque chose nous pourchasse, murmure Pollux à Félix.

— C'est sûrement un des animaux de compagnie de tante Djin-Djin, dit Félix. Elle élève des serpents d'eau et des alligators.

Pollux frissonne.

— En tout cas, je ne tiens pas à les rencontrer.

Les racines des arbres du marais ressemblent à des serpents dansants. Pollux et Félix doivent se frayer un chemin parmi ces racines. Il y a de plus en plus de vagues à la surface de l'eau. Une fois, Félix glisse et manque de tomber. Pollux le rattrape juste à temps. Ils entendent des mâchoires se refermer dans le vide, puis comme un soupir de déception. Mais il fait tellement noir qu'ils ne voient pas la créature.

Tante Djin-Djin est une opossum si vieille que sa fourrure est presque blanche et comme hérissée de petits clous.

Elle est suspendue à une branche par sa queue longue et maigre. Une grosse carapace de tortue renversée lui sert de marmite. Ses pattes ressemblent à des mains humaines alors qu'elle brasse un bouillon bleu avec un bâton. Il n'y a pas de feu sous la marmite, et pourtant la mixture bouillonne et dégage de la vapeur.

— Déjà de retour, monsieur Félix? dit Tante Djin-Djin, d'une voix éraillée.

— Mon frère a besoin d'aide, dit Félix.

Tante Djin-Djin regarde Pollux.

— Alors, monsieur Pollux, on a fait la connaissance de Crac?

— Comment le savez-vous? s'exclame Pollux.

— Je sais bien des choses, dit tante Djin-Djin. Je sais tout de Crac. Je sais tout de toi aussi. Tu es le meilleur chien de chasse.

— J'*étais*, corrige Pollux.

— Tu as chassé l'écureuil, le raton laveur... et l'opossum, dit Tante Djin-Djin.

Pollux se gratte la nuque.

— Avant, marmonne-t-il.

— Le ferais-tu encore? lui demande Tante Djin-Djin.

— Oh non! répond vivement Félix pour son frère.

Tante Djin-Djin a un étrange sourire.

— Alors, approche ici, monsieur Pollux.

Pollux se place devant Tante Djin-Djin. Ses petits yeux noirs luisent. Elle marmonne quelque chose. Puis, elle lève son bâton et en frappe Pollux sur la tête.

— Ouille! dit Pollux en frottant l'endroit endolori. Vous avez frappé fort.

— C'est un sort très coriace qu'on t'a jeté. Maintenant, ajoute-t-elle, prends la gourde qui est là et remplis-la de ce bouillon. Chez toi, tu te peindras en bleu avec. Ensuite, dans la maison de ton maître, tu te suspendras la tête en bas.

— Dans la maison? fait Pollux d'un air perplexe.

Tante Djin-Djin se remet à brasser son bouillon bleu.

— Oh! tu peux rester un chien-écureuil toute ta vie si ça te plaît. Et chaque mois, lorsque la lune sera pleine, tu te changeras en écureuil géant.

— Non, non, nous allons faire ce que vous avez dit! s'exclame Félix.

Pollux remplit la gourde.

— Vos petits animaux vont-ils nous suivre? demande Pollux.

— À présent, tu sais ce que c'est qu'être chassé, monsieur Pollux. Aimes-tu cela?

— Pas du tout, répond Pollux.

— Eh bien, nous non plus, dit Tante Djin-Djin.

Pollux et Félix peuvent entendre encore son ricanement aigu au moment où ils sortent du marais.

8
Le visiteur du soir

Quand Pollux et Félix rentrent à la ferme, leur maître n'est toujours pas là. Ils se glissent dans la maison.

— Aide-moi à trouver de l'ail, dit Félix.

— De l'ail?

— Tante Djin-Djin dit que Crac en a peur. Dans la cuisine, Pollux fouille les armoires du bas, puis celles du haut. Il trouve une tresse d'ail suspendue à un clou.

— Cet ail me semble bien vieux, dit-il.

— Y en a-t-il d'autre? demande Félix.

Pollux prend un petit pot au couvercle troué.

— Il y a des flocons d'ail dans ce pot.

— Il faudra bien nous contenter de cela, soupire Félix.

Ils vont au salon. Un gros lustre laid pend au plafond.

— Ce lustre devrait pouvoir me soutenir, dit Pollux plein d'espoir.

Il s'enduit le corps de bouillon bleu. Sa fourrure devient bleue. Le plancher aussi. Puis il pousse une chaise sous la lampe et accroche sa queue au lustre.

— Je peux faire un noeud à ma queue sans me faire mal, dit-il, étonné.

— C'est sûrement à cause du bouillon magique, dit Félix.

Pollux repousse la chaise et demeure suspendu au lustre.

Soudain, ils entendent les chiens qui reviennent à la ferme. Félix se dresse sur ses pattes arrière et regarde par la fenêtre.

— Oh non, c'est notre maître !

— Il ne faut pas qu'il me voie comme ça ! fait Pollux.

Il essaie de redescendre quand, soudain, son museau commence à le démanger. Son corps devient très chaud. Il a l'impression que des fourmis circulent à travers sa fourrure.

— Félix, je me transforme !

Les bottes de Jean-Baptiste résonnent lourdement sur le balcon. La porte s'entrouvre.

— Il faut l'empêcher d'entrer, dit Félix en courant refermer la porte.

— Cela ne sera pas long, fait Pollux. Son museau rapetisse. Ses pattes arrière raccourcissent. Sa queue devient de plus en plus petite. Mais malgré le noeud, elle ne lui fait pas mal. La magie de Tante Djin-Djin est très puissante.

— Qui est là? fait Jean-Baptiste d'une voix rude

en poussant très fort sur la porte.

— Je ne peux plus le retenir, gémit Félix. La porte s'ouvre brusquement et Félix tombe à la renverse.

— C'est fini! s'écrie joyeusement Pollux.

Ses oreilles et ses pattes sont maintenant celles d'un chien. Un chien bleu. Le fermier est debout sur le seuil, le fusil à la main.

— Qui est dans ma maison? Que fais-tu ici, Félix?

Puis il aperçoit Pollux. Un Pollux tout bleu, suspendu par la queue. Immobile et silencieux, Jean-Baptiste abaisse son fusil.

Pollux lui fait un sourire pour se faire pardonner.

— Allô vous! aboie-t-il.

Le fermier prend une grande respiration et dit:

— Tu as caché mes choux. Tu as mangé mon beurre d'arachide. Mais là, Pollux, ça dépasse les bornes!

Il dénoue la queue de Pollux et pose le chien à terre.

— Je n'essaierai pas de comprendre pourquoi tu étais suspendu au lustre ni pourquoi tu es bleu. Je ne veux même pas savoir d'où vient l'ail sur mon plancher.

Dehors, les autres chiens se mettent à japper.

— L'écureuil! L'écureuil! L'écureuil géant!

Pollux court à la porte. Il voit Crac qui bombe le torse et agite sa grosse queue.

— Venez, mes petits chiens, grogne-t-il avec colère. Venez vous mesurer à moi. Venez vous battre contre quelqu'un de plus gros que vous.

Pollux entend Zoé dire: « Ce ne sont que des mots, Crac, nous savons bien que tu n'es qu'un poltron. Nous t'avons chassé à travers la forêt. »

— Non, c'était moi! lance Pollux, mais les autres chiens sont trop occupés à regarder Crac sautiller ici et là.

— Je ne cours jamais, dit Crac.

Pollux voit Gaspard s'accroupir, prêt à bondir.

— Nous t'avons forcé à grimper à un arbre, Crac. Tu voulais nous faire croire que tu étais Pollux. Tu avais peur.

Les autres chiens grognent pour approuver Gaspard.

Crac bat l'air de ses pattes et s'avance lentement vers la maison. *Toum! Toum! Toum!*

— Aucun chien ne me fait peur. Vous n'êtes qu'une bandes de fanfarons poilus.

Gaspard saute sur Crac. Crac le frappe du revers

de la patte. Gaspard est lancé dans les airs. Il s'écrase au sol et se met à rouler.

Zoé essaie de mordre la patte de Crac, mais l'écureuil l'attrape et la projette dans un bosquet. Avant que les autres chiens n'aient eu le temps de s'enfuir, Crac charge et les martèle de coups comme de vieilles noix.

Pollux avale sa salive. Les chiens de Jean-Baptiste sont les meilleurs de la région, les plus braves aussi. Et les voilà terrassés, gémissant à fendre l'âme.

Crac se dirige vers la maison. Il monte l'escalier. Ses griffes strient le bois. Ses yeux sont énormes et rouges. Sa queue bat furieusement de gauche à droite. Ses grosses dents de devant bougent de haut en bas. Il a envie de mordre. Il regarde Félix, Pollux et Jean-Baptiste.

— Maintenant, je vais vous donner une bonne leçon! dit-il.

9

L'ail

Jean-Baptiste se précipite sur son fusil, Pollux et Félix se précipitent sur l'ail.

— Hors d'ici ! lui crie le fermier en le menaçant de son arme.

Crac bondit au milieu de la pièce et arrache le fusil des mains du fermier.

— Merci pour ce cure-dents. Je m'en servirai plus tard, dit Crac en lançant le fusil dans un coin.

Jean-Baptiste ne comprend pas ce que dit Crac. Tout ce qu'il entend, ce sont des grognements furieux. Mais il a très peur. Il saisit le téléphone et compose un numéro.

— Au secours ! Au secours ! crie-t-il dans l'appareil.

Crac arrache le fil du téléphone.

— Personne ne peut vous sauver à présent. Je vais d'abord vous mordre et vous faire cuire ensuite dans une marmite.

Il prend Jean-Baptiste par les épaules.

Ses griffes s'enfoncent dans le manteau épais de l'homme. Crac ouvre la gueule. Ses dents semblent terriblement tranchantes.

Soudain, Pollux saisit le pot de flocons d'ail dans sa gueule. Il court vers Crac, se dresse sur ses pattes de derrière et secoue le pot avec vigueur. Les flocons d'ail se répandent sur Crac et le fermier. Celui-ci ne comprend pas. Il pense que l'ail lui est destiné.

— Voilà que ce chien idiot veut m'assaisonner! grogne-t-il.

Crac éternue.

— Arrête ça! réussit-il à dire.

Pollux continue de secouer le pot.

— Prends ça et ça et ça! marmonne Pollux qui a du mal à parler à cause du pot qu'il tient dans sa gueule.

— Arrête! crie Crac en éternuant de nouveau.

Félix court de l'autre côté avec la tresse d'ail entre les dents. Il la frotte contre l'écureuil.

— Et prends ça! marmonne Félix à son tour.

Pollux est fier de son frère. Félix le poltron est devenu Félix le héros.

— Oh non, de l'ail! fait Crac. Atchoum!

Atchoum! Je suis allergique à l'ail!

Il lâche le pauvre fermier qui tombe avec un bruit sourd. Celui-ci s'assoit et regarde Pollux et Félix sautiller autour de l'écureuil.

Jean-Baptiste branle la tête et se demande ce qui est le plus étrange — un écureuil géant ou deux chiens avec de l'ail?

— Arrêtez! Arrêtez! se lamente Crac qui éternue de plus belle tout en bondissant vers la porte.

Les autres chiens se sont attroupés sur le perron mais Crac les renverse comme un jeu de quilles et s'enfuit dans les bois en éternuant sans arrêt.

10
Promenades
au crépuscule

Les choses ne sont plus comme avant à la ferme.
Des choux, des carottes et même des navets dispa-
raissent. Jean-Baptiste découvre les trous dans le
sol. Alors, il regarde Pollux. Et Pollux fait semblant de regarder ailleurs.

Évidemment, c'est Pollux le voleur. Il ne mange
plus de viande. Il préfère les légumes. Félix et lui
sont retournés voir Tante Djin-Djin une seconde
fois pour essayer de résoudre ce problème.

Tante Djin-Djin brassait son bouillon bleu.

— Je ne suis pas folle, s'est-elle exclamée. J'ai
guéri Pollux à ma façon. De meilleur chasseur, il
est devenu le meilleur végétarien.

— Mais ce n'est pas juste ! a protesté Pollux.

Les yeux de Tante Djin-Djin sont alors devenus

froids et brillants.

— Et tu trouves ça juste de chasser les lapins et les écureuils, monsieur Pollux? Tu trouves ça juste de faire peur aux petits opossums? Sois content que je ne t'aie pas changé en légume!

Pollux a semblé pétrifié.

Et depuis cette visite, il ne chasse plus très bien. Le coeur n'y est plus. Heureusement, son maître a perdu le goût de chasser, lui aussi.

Même les autres chiens ont changé. Ils n'attrapent rien sans Pollux. Il sont gentils avec les petits lapins et commencent à manger des légumes avec Pollux et Félix. En plus, ils mangent des noix dans la forêt. Les écureuils n'en reviennent pas.

Maintenant, Jean-Baptiste laisse son fusil à la maison. Il fait plutôt de longues promenades avec ses chiens. Il trouve toujours une gousse d'ail dans l'une des poches de son pantalon ou de son manteau.

Chaque fois, il la sort et la regarde.

Alors, Pollux tousse et secoue la tête.

Jean-Baptiste remet la gousse dans sa poche et poursuit sa marche. Pollux et Félix sont à ses côtés, tandis que le reste de la meute suit derrière.

Et jamais plus ils n'ont rencontré d'écureuil
géant.

L'auteur

LAURENCE YEP habite San Francisco, sa ville natale. Il a écrit de nombreux livres pour enfants dont l'un d'eux, en 1976, a été choisi «Newbery Honor Book». Voici ce qu'il dit au sujet de *L'écureuil ensorcelé*: «J'ai toujours adoré les films d'horreur classiques, même si chaque fois que j'en vois un, j'en ai des frissons dans le dos pendant plusieurs jours. Avec *L'écureuil ensorcelé*, j'ai réalisé mon vieux rêve d'écrire une histoire d'horreur bien à mois. Mais plutôt que de me faire peur, ce conte m'a fait rire.»

L'illustrateur

DIRK ZIMMER est né en Allemagne de l'Ouest. Il a commencé à faire de la bande dessinée et des illustrations à l'âge de quatre ans. Après avoir étudié à l'Académie des Beaux-Arts de Hambourg et voyagé à travers l'Europe, il a émigré aux États-Unis en 1977. Bien connu pour ses illustrations de récits d'épouvante, Dirk Zimmer avoue avoir eu beaucoup de plaisir à illustrer. *L'écureuil encorcelé* car, dit-il, «un de mes ancêtres était lui-même un écureuil.» Il vit dans l'état de New York.

X0079299 0